Classi

EDIZIONI el

NATALE 2018

PER WILLIAM

CON TANTO TANTO AMORE

MAMMA e PAPÀ

Settima ristampa, luglio 2018

Illustrazioni di Ivan Bigarella

via J. Ressel 5, 34018
San Dorligo della Valle (Ts)
ISBN 978-88-477-2985-8

www.edizioniel.com

Roberto Piumini

Il giro del mondo in 80 giorni

da Jules Verne

CAPITOLO I

UN MISTERIOSO GENTILUOMO

PHILEAS FOGG, gentiluomo piuttosto misterioso, abitava al numero 7 di Savile Row, a Londra. Di lui si sapeva soprattutto chi non era, che cosa non faceva, che luoghi non frequentava, le società a cui non partecipava. Si sapeva che era ricco, né avaro né spendaccione, e socio onoratissimo del Reform Club.

Viaggiava? Se non viaggiava per il mondo, certo lo faceva sul mappamondo: spesso correggeva con validi argomenti i discorsi che al club si tenevano sulle rotte di mare, gli itinerari, i viaggi e i viaggiatori dispersi nel vasto mondo.

Da anni non lasciava Londra. Il silenzioso gioco del whist e la lettura dei giornali erano i suoi passatempi preferiti.

Viveva da solo nella casa di Savile Row, dove nessuno era mai entrato, se non il cameriere al suo servizio. Pranzava e cenava sempre al club, e rientrava puntualmente a mezzanotte.

Da James, il suo domestico, pretendeva perfetta precisione e regolarità. Il mattino del 2 ottobre, avendogli scaldato l'acqua per la barba a ottantaquattro gradi, anziché ottantasei, James fu licenziato.

Alle 11 e 30 si presentò un giovanotto di circa trent'anni.

– Lei è francese, e si chiama John? – chiese Phileas Fogg.

– Jean, – corresse l'altro, – Jean Passepartout.

– Passepartout... mi piace, – disse Fogg. – Dalle 11 e 35 di oggi, mercoledí 2 ottobre 1872, lei è al mio servizio.

Poi uscí per andare al club.

Sopra l'orologio della propria stanza, Passepartout trovò il programma dei suoi compiti quotidiani, rigorosamente scritti e previsti da Fogg, che era una persona matematicamente esatta e mai frettolosa.

Giunto al club (dopo aver messo cinquecentosettantacinque volte il piede destro davanti al sinistro, e cinquecentosettantasei volte il sinistro da-

vanti al destro) Fogg pranzò, trascorse il pomeriggio leggendo, e alle 6 precise entrò nel salone, dove cinque soci e compagni di whist commentavano un fatto accaduto qualche giorno prima: un pacco di cinquantacinquemila sterline in banconote rubato alla Banca d'Inghilterra.
I migliori agenti e investigatori del regno erano partiti per i principali porti e stazioni ferroviarie del mondo. Il premio per la cattura del ladro era di duemila sterline, piú il cinque per cento di quanto recuperato.
La fuga del malvivente, osservavano quelli del club, era certo stata rapida, dati i progressi dei collegamenti terrestri e navali. Si facevano ipotesi su quale luogo del mondo, e in quanto tempo, il ladro avrebbe potuto raggiungere.
Fogg mostrò un articolo pubblicato il giorno prima dal quotidiano *Morning Chronicle*, e dichiarò:
– Qui è dimostrato, signori, che con una accurata condotta di viaggio si può fare il giro del mondo in ottanta giorni.

I soci del Reform Club erano scettici. Qualcuno rise di quanto Fogg sosteneva.

Fogg accettò la sfida.

– Compirò io stesso il viaggio, scommettendo ventimila sterline sul mio successo, mentre le spese saranno a

carico vostro. Partirò questa sera e tornerò entro le 8 e 45 della sera di sabato 21 dicembre. Se non riuscirò, dividerete fra voi le ventimila sterline.

I soci, divertiti e persuasi di una loro facile vittoria, accettarono: ciascuno, oltre a sostenere le spese del viaggio, avrebbe messo a disposizione quattromila sterline, da dare a Fogg se fosse riuscito nell'impresa.

Tornato a casa il gentiluomo ordinò a Passepartout di preparare due sacche, ciascuna con due camicie, tre paia di calze, un impermeabile e una coperta da viaggio. Quando tutto fu pronto, affidò al domestico una borsa.

– Ne abbia riguardo, – gli disse. – Contiene ventimila sterline.

Alla stazione di Charing Cross acquistò due biglietti di prima classe per Parigi, da dove avrebbe proseguito in treno verso l'Italia, per percorrerne quasi tutta la lunghezza e imbarcarsi a Brindisi verso l'Africa Settentrionale.

Salutando dal finestrino i cinque amici, assicurò:

– Al mio ritorno, signori, potrete verificare l'itinerario dai visti sul mio passaporto.
Nei giorni seguenti, a Londra, molti parlavano della sua impresa, ma pochissimi la sostenevano.
– Fogg è partito per un viaggio insensato! – commentava la maggioranza.

CAPITOLO II

FIX IN AGGUATO

ALLE 9 DEL 7 OTTOBRE

il direttore della Polizia metropolitana di Londra ricevette un telegramma da Suez:

A Rowan, capo della Polizia, Amministrazione centrale, Scotland Yard.
Inseguo ladro banca: Phileas Fogg. Spedite mandato cattura a Bombay.

Fix, detective

Cos'era successo?
L'agente Fix, uno degli investigatori partito dopo il furto alla Banca d'Inghilterra, aspettava con impazienza, a Suez, il piroscafo *Mongolia* diretto a Bombay.

Dopo l'approdo, un tale dall'aria poco inglese e dall'accento molto francese gli chiese dove fosse l'ufficio del console, per far apporre il visto britannico al passaporto del suo padrone.
Dopo una sospettosa occhiata al documento, Fix disse:
– Avverti il tuo padrone che deve recarsi personalmente dal console.
Quando Fogg andò dal console,
Fix lo esaminò a distanza,

e decise di non farsi ingannare dalla sua aria di gentiluomo.

Cosa c'era nella borsa che il francese non abbandonava mai?

Il passaporto fu vistato e Fogg tornò a bordo, ma non subito: apparteneva alla meritevole categoria che fa visitare ai domestici i paesi che attraversa.

Intanto Fix, certo di avere individuato il ladro, dall'ufficio telegrafico trasmetteva quel telegramma alla Polizia di Londra, e s'imbarcava sul *Mongolia*.

Sul lussuoso piroscafo che, dopo aver attraversato lo stretto di Suez, percorreva la rotta di milletrecento miglia verso Aden, i ricchi naviganti viaggiavano tra agi e divertimenti. Phileas Fogg giocava a whist, e Passepartout girava curioso per la nave.

Il giorno dopo la partenza, sul ponte, l'agente Fix, fingendosi un normale viaggiatore, trattenne il domestico in cordiale conversazione, per avere

notizie del suo padrone: le risposte scarse e reticenti del cameriere, che ancora poco conosceva Fogg, lo insospettirono ancora di piú.

La navigazione proseguí regolare, in un mare sempre piú calmo e caldo, dove s'incontravano rarissime imbarcazioni di pescatori arabi.

Il 13 ottobre avvistarono Mokha e la notte seguente il *Mongolia* attraversò lo stretto di Bab el-Mandeb, giungendo ad Aden la sera del 14. Alle 6 del pomeriggio riprese il mare, con la prua verso Bombay, dove approdò domenica 20 ottobre: un anticipo di due giorni sulla tabella di marcia, che Fogg annotò soddisfatto nella colonna *Vantaggi* del suo taccuino di viaggio.

CAPITOLO III

SULLA GROPPA DI KIURI

DA BOMBAY una lunga linea ferroviaria attraversava tutta l'India in larghezza: non però, purtroppo, in linea retta.

Il viaggio per Calcutta sarebbe durato tre giorni, se non ci fossero state difficoltà impreviste.

Fix era preoccupato perché il mandato d'arresto chiesto a Londra non era arrivato.

Nella pagoda di Malerbar Hill il domestico francese fu aggredito da tre sacerdoti infuriati, perché era entrato con le scarpe ai piedi, contro l'uso induista, e arrivò scalzo alla stazione pochi minuti prima della partenza del treno.

Fix, all'ultimo istante, decise di restare a Bombay.

Nello scompartimento di Fogg viaggiava il generale Sir

Francis Cromarty, che era stato suo compagno di whist nella traversata Suez-Bombay e doveva raggiungere le truppe britanniche a Benares.

Nella notte il treno attraversò i tenebrosi monti Ghats, passò Nashik, e il 21 ottobre si inoltrò nel territorio di Khandesh. Si fermò a Burhanpur e ripartí verso Assurghur.

Il viaggio continuava, spedito e regolare.
Ma il 22 ottobre, alle 8 del mattino, il treno si fermò in una spianata presso il villaggio di Kholby: da lí la ferrovia non era ancora stata costruita. Riprendeva cinquantacinque miglia piú avanti, ad Allahabad.
Scartata l'idea di percorrere a piedi il tratto mancante, Fogg comprò un elefante per duemila sterline. Un giovane parsi dallo sguardo sveglio propose di accompagnarlo e fu assunto come guida, con la promessa di una buona ricompensa.
Sir Cromarty accettò volentieri l'offerta di viaggiare con loro in groppa al bestione.
In una giornata, Fogg e i compagni percorsero venticinque miglia. Il giorno dopo avrebbero dovuto superarne altre venticinque.
Ripartirono alle 6 del mattino, procedendo senza soste per due terzi del percorso: ma, alle 4 del pomeriggio, l'elefante si fermò di botto.

Una coloratissima processione di bramini veniva verso di loro, in un tremendo baccano di voci e strumenti. Dei sacerdoti precedevano un carro su cui viaggiava una spaventosa statua della dea Kali. Seguivano un gruppo di vecchi fachiri insanguinati, e infine dei bramini in vesti

sontuose che trascinavano una giovane dalla pelle bianca, splendidamente vestita e ingioiellata.

Accanto a lei, guardie armate di sciabole trasportavano su un palanchino il cadavere di un vecchio.

Fogg s'informò. Il cadavere era quello di un principe, un anziano rajah, marito della donna, che all'alba sarebbe stata bruciata viva, accanto a lui.

– E se salvassimo quella donna? – disse Fogg.

– Dunque, lei è un uomo di cuore! – esclamò Sir Cromarty.

– Qualche volta, – dichiarò Fogg. – Quando ne ho il tempo.

Aspettarono che calasse la notte, durante la quale tentarono di superare la sorveglianza e liberare la donna, ma non ci riuscirono.

All'alba il corpo del rajah fu messo su una pira di legna, con la moglie accanto. Rassegnati, i due inglesi stavano in disparte, osservando l'orribile scena.

Fu avvicinata una torcia al legno, che subito s'infiammò. D'improvviso un grido d'orrore si levò dalla folla, che si gettò a terra spaventata.
Il vecchio principe non era morto! Con la moglie sulle braccia, stava scendendo dal rogo.
Arrivato accanto a Fogg e al generale, il resuscitato disse:
– Filiamocela!
Era Passepartout che, profittando dell'oscurità, si era sostituito al cadavere per salvare in quel modo la giovane donna.
– Bravo! – gli disse solennemente Fogg, mentre fuggivano a gran velocità sull'elefante.
Passepartout sorrideva all'idea di esser stato il defunto marito di una donna affascinante.
Fogg e Cromarty pensarono che Auda, cosí si chiamava la donna salvata, sarebbe finita di nuovo nelle mani dei suoi carnefici se non avesse lasciato l'India.

– Verrà dunque con noi, – decise Fogg, con apparente interesse da gentiluomo verso la giovane.

Alle ore 10 giunsero ad Allahabad, dove la linea ferroviaria riprendeva fino a Benares. Da lí, il 25 ottobre, alle 10 di mattina, sarebbe partito il piroscafo per Hong Kong.

Fogg diede al parsi la mancia che aveva promesso, senza aumentarla di un penny.

La cosa stupí molto Passepartout, che pensava:

«Eppure il padrone sa bene quanto la guida ha rischiato, e continui a rischiare, qui in India, per il rapimento di Auda...»

E di Kiuri, l'elefante, che fare?

Fogg, con una parola, lo regalò al parsi.

– Vostro onore, mi dona una fortuna! – ringraziò il giovane, stupefatto.

– Resterò sempre vostro debitore, – rispose mister Fogg mentre Passepartout sospirava di sollievo per la generosità del suo padrone.

Poco dopo, Fogg, il generale, Passepartout e Auda, ancora in parte stordita dai fumi del mancato sacrificio, sedevano in uno scompartimento del treno che, a tutto vapore, correva verso Benares.
Auda lentamente si riprese. Ringraziò piangendo i suoi benefattori, accettando d'essere accompagnata a Hong Kong, dove abitava un suo parente.

CAPITOLO IV

PASSEPARTOUT INCARCERATO

IL TRENO ENTRÒ sbuffando nella stazione di Benares alle 12 e 30.

Le truppe erano schierate per accogliere solennemente il generale Cromarty, che si congedò dai compagni di viaggio.

Tutti, mostrandolo o no, erano commossi.

Da Benares la ferrovia proseguiva costeggiando il fiume Gange, in un vario e vasto panorama: i tre viaggiatori videro il forte di Chunar antica roccaforte del rajah di Behar, poi Ghazepur, con le sue fabbriche d'essenza di rosa. Piú avanti c'erano la tomba di lord Cornwallis, la città fortificata di Buxar, Patna, principale mercato d'oppio dell'India, e poi Munger, città quasi inglese, famosa per le fonderie e le fabbriche di oggetti metallici e armi bianche.

Scese la notte e scomparvero le meraviglie del Bengala.

Come previsto dal piano di viaggio, furono a Calcutta alle 7 di mattina, ventitre giorni dopo la partenza: le due giornate guadagnate tra Londra e Bombay erano state spese per salvare la bella Auda.

Li attendeva una sgradevole sorpresa. Appena scesi dal treno, furono invitati da un poliziotto a salire su un *palkighari,* vettura a quattro ruote e due cavalli: alle 8 e 30 dovevano comparire davanti al giudice Obadiah.

Entrarono nell'aula del tribunale, dopo il giudice, i querelanti: tre sacerdoti indiani.

I nostri non immaginavano di trovarsi accusati di aver violato una pagoda, non a Pillaj, dove avevano rapito Auda, ma a Bombay, dove Passepartout era entrato nel tempio con gli stivaletti, che venivano ora solennemente mostrati come prova d'accusa.

L'incidente di Bombay, ormai dimenticato, li portava davanti al giudice grazie soprattutto alle macchinazioni dell'ispettore Fix, che aveva subito compreso l'utilità di quella faccenda di scarpe e pagode.

Passepartout, confessato l'accaduto, fu condannato a quindici giorni di carcere e un'ammenda di trecento sterline.

Fogg, per complicità, fu condannato a otto giorni di carcere e centocinquanta sterline d'ammenda.
Il piroscafo *Rangoon* salpava a mezzogiorno e Fogg non l'aveva dimenticato. Propose al giudice di pagare una cauzione, che fu fissata a duemila sterline per entrambi.
Il gentiluomo pagò senza esitare, gli stivaletti furono restituiti e, un'ora prima della partenza, una scialuppa accompagnò Auda, Fogg e il francese a bordo della nave, sotto lo sguardo furioso di Fix. 
Oltre a non avere ancora ottenuto il mandato di cattura, l'ispettore vedeva Fogg sperperare denari tra elefanti, ammende e cauzioni, e la sua percentuale sul bottino si faceva sempre piú scarsa.

CAPITOLO V

MARI D'ORIENTE

IL RANGOON

era veloce come il *Mongolia* ma non altrettanto comodo, e la traversata di tremilacinquecento miglia fu molto lunga.

La prima parte del viaggio proseguí ottimamente. Dalla nave scorsero la Grande Andamana, isola abitata dai selvaggi papua.

L'ispettore Fix, imbarcato anche lui alla volta di Hong Kong, sperava di arrestare laggiú il suo uomo, dopo i fallimenti a Bombay e Calcutta, e s'interrogava sulla presenza della giovane donna. Avvicinò ancora una volta Passepartout, fingendo grande stupore per averlo di nuovo incontrato. Sperava cosí di chiarirsi le idee e avere informazioni per incolpare Fogg del rapimento della donna.

Passepartout, davvero stupito di rivederlo, gli raccontò ogni cosa, compreso l'affido di Auda al parente di Hong Kong: un'altra amara delusione per il detective.
Il domestico, però, cominciava a insospettirsi per la presenza di Fix. Convinto che fosse una spia dei soci del Reform Club, era indignato per la malafede nei confronti del suo padrone, la cui lealtà ormai ben conosceva.
Mercoledí 30 ottobre il piroscafo passò lo stretto tra la penisola di Malacca e Sumatra. Il 31 ottobre, con mezza giornata d'anticipo, approdò a Singapore per fare rifornimento.
Fogg e Auda passeggiarono un paio d'ore nella bella campagna conversando piacevolmente, e tornarono alle 10 sul piroscafo, che riprese il largo un'ora dopo.
Milletrecento miglia di oceano separavano Singapore da Hong Kong da dove, il 5 novembre, sarebbe partita la nave per Yokohama su cui Fogg doveva imbarcarsi.
Il tempo cambiò. Il mare si fece grosso e il *Rangoon* dovette procedere a velocità ridotta.

Passepartout e Fix si rincontrarono. Il giovane interrogò in modo provocatorio l'agente di cui credeva d'aver indovinato la missione.

L'ispettore si sentí scoperto.

Tra il 3 e il 4 novembre ci fu tempesta, e la nave procedette ancora piú faticosamente, poi il vento di nuovo cambiò, tornando favorevole.

Molto tempo era stato perduto. L'arrivo a Hong Kong, previsto il 5 novembre, slittò al 6.
La fortuna, però, aiutò Phileas Fogg: per un problema alle caldaie, il *Carnatic*, in partenza per Yokohama, aveva dovuto rimandare la partenza al 6 novembre.
In attesa di salpare per il Giappone, mister Fogg si occupò della sistemazione di Auda presso il parente di Hong Kong che però, vennero a sapere, si era da tempo trasferito in Olanda.
Alla giovane non restava che proseguire verso l'Europa con i compagni, felici quanto lei di continuare insieme il viaggio.
Passeggiando per la città, Passepartout pensava a quanto Hong Kong, Bombay, Calcutta e Singapore fossero simili: sembravano una striscia di città inglesi che si prolungava intorno al mondo.
In un'agenzia di trasporti marittimi, Passepartout incontrò ancora una volta l'agente Fix. Vennero insieme a sa-

pere dall'impiegato che il *Carnatic* sarebbe partito la sera stessa anziché il mattino seguente.
Fix, scoraggiato per il mandato di cattura non ancora arrivato da Londra e per l'anticipo favorevole a Fogg, decise di dire tutto al francese. Lo condusse in una fumeria d'oppio e, ordinate due bottiglie di porto, cominciarono a chiacchierare e, soprattutto Passepartout, a bere.
Quando il giovanotto gli parve sufficientemente brillo, Fix rivelò:

– Ascolti, amico mio. Il 29 settembre scorso è stato commesso un furto di cinquantacinquemila sterline alla Banca d'Inghilterra da un individuo di cui si conoscono i connotati: connotati che corrispondono in tutto e per tutto a quelli di mister Fogg!

Poi chiese al giovane di aiutarlo a catturare il suo padrone, promettendogli di dividere con lui il premio di duemila sterline promesso dalla Banca d'Inghilterra.

Passepartout, benché completamente ubriaco, gli gridò

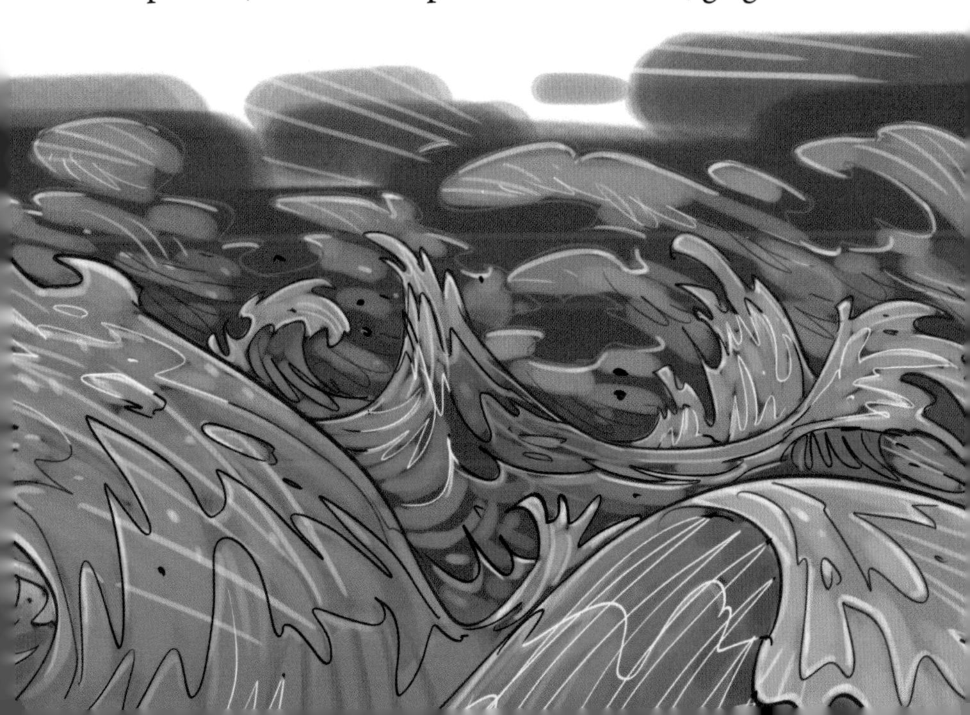

in faccia la sua indignazione e l'assoluto rifiuto di tradire Fogg.

A quel punto Fix doveva accontentarsi che Fogg, non sapendo della partenza anticipata del piroscafo, restasse a Hong Kong, e per impedire a Passepartout di avvertire il padrone, gli mise tra le labbra una pipa d'oppio.

Il francese, aspirata una boccata di fumo, cadde farfugliando, con la testa sempre piú pesante, mentre le forze e la ragione gli sfuggivano.

CAPITOLO VI

LA *TANKADÈRE*

IL MATTINO seguente Fogg e Auda, senza il maggiordomo che non era tornato, appena arrivati alla banchina d'imbarco appresero che il piroscafo era salpato la sera prima.
Imperturbabile il gentiluomo si rivolse ad Auda, inquieta per la novità:
– È solo un incidente, signora, nient'altro.
Fix, lí vicino, si finse anch'egli contrariato per la mancata partenza, rallegrandosi invece per gli otto giorni che Fogg avrebbe dovuto aspettare prima di ripartire: ma Fogg, senza arrendersi alla sorte avversa, già si avviava in cerca di un'altra soluzione.
Era pronta alla partenza un'imbarcazione pilota che, con le sue venti tonnellate scarse di peso, non poteva certo

percorrere le milleseicento miglia che separano Hong Kong da Yokohama.

John Bunsby, marinaio ardito e padrone della *Tankadère* (era il nome dell'imbarcazione), propose a Fogg di portarlo a Shanghai, da dove, alle 7 di sera dell'11 novembre, sarebbe partito il piroscafo per San Francisco.

Fogg gli promise duecento sterline.

C'erano quattro giorni per percorrere le ottocento miglia di mare tra Hong Kong e Shanghai.

Il sordido Fix finí addirittura con l'approfittare della cortesia di Fogg e si uní all'equipaggio.

Auda era preoccupata per la scomparsa di Passepartout, e Fogg andò alla Polizia della città per fornire i connotati del domestico, e lasciare una somma sufficiente al suo rimpatrio.

Alle 3 e 10, issate le vele, dopo un ultimo sguardo dei nostri alla banchina nella speranza di veder comparire Passepartout, la *Tankadère* salpò per la sua impresa rischiosa.

Il vento soffiava, tuttavia, favorevole.

Scese la notte. La luna era al primo quarto, e a est, dall'immenso oceano, cominciarono ad addensarsi grosse nubi, che si spostarono poi tuttavia dalla rotta della nave.

Fix fantasticava a prua, sperando che padrone e domestico, ormai divisi, non s'incontrassero mai piú.

A metà dell'8 novembre, la goletta aveva percorso piú di cento miglia e il solcometro indicava una velocità media tra le otto e le nove miglia l'ora. A tratti il vento s'indeboliva, poi riprendeva, e la *Tankadère* filava rapida come un'imbarcazione che partecipasse a una regata del Royal Yacht Club.

Alla fine, passando lo stretto di Fo-Kien, attraversò il Tropico del Cancro.

All'alba il vento si fece piú fresco e a sudest il mare si sollevò in lunghe onde minacciose.

Avvicinatosi a Fogg, Bunsby disse a bassa voce:

– Ci sarà tempesta, signore....

– Da nord o da sud? – chiese Fogg.

– Un tifone, da sud, – precisò il capitano.

– Bene, ci spingerà nella giusta direzione, – concluse tranquillo l'inglese.

Alle 8, in effetti, la tempesta si abbatté sulla goletta, che per tutto il giorno avanzò a nord spinta da onde mostruose. Per una ventina di volte, scavalcando immense gobbe d'acqua, sembrò sul punto di affondare. Verso sera il vento volse a nordovest e nella notte la tempesta crebbe ancora: ma la direzione a nord fu mantenuta, e solo per miracolo la goletta non si capovolse.

Il 10 novembre la tempesta continuò, finché il vento cadde a sudovest: un cambiamento favorevole.

Dopo una notte di navigazione tranquilla, all'alba dell'11 novembre la *Tankadère* si

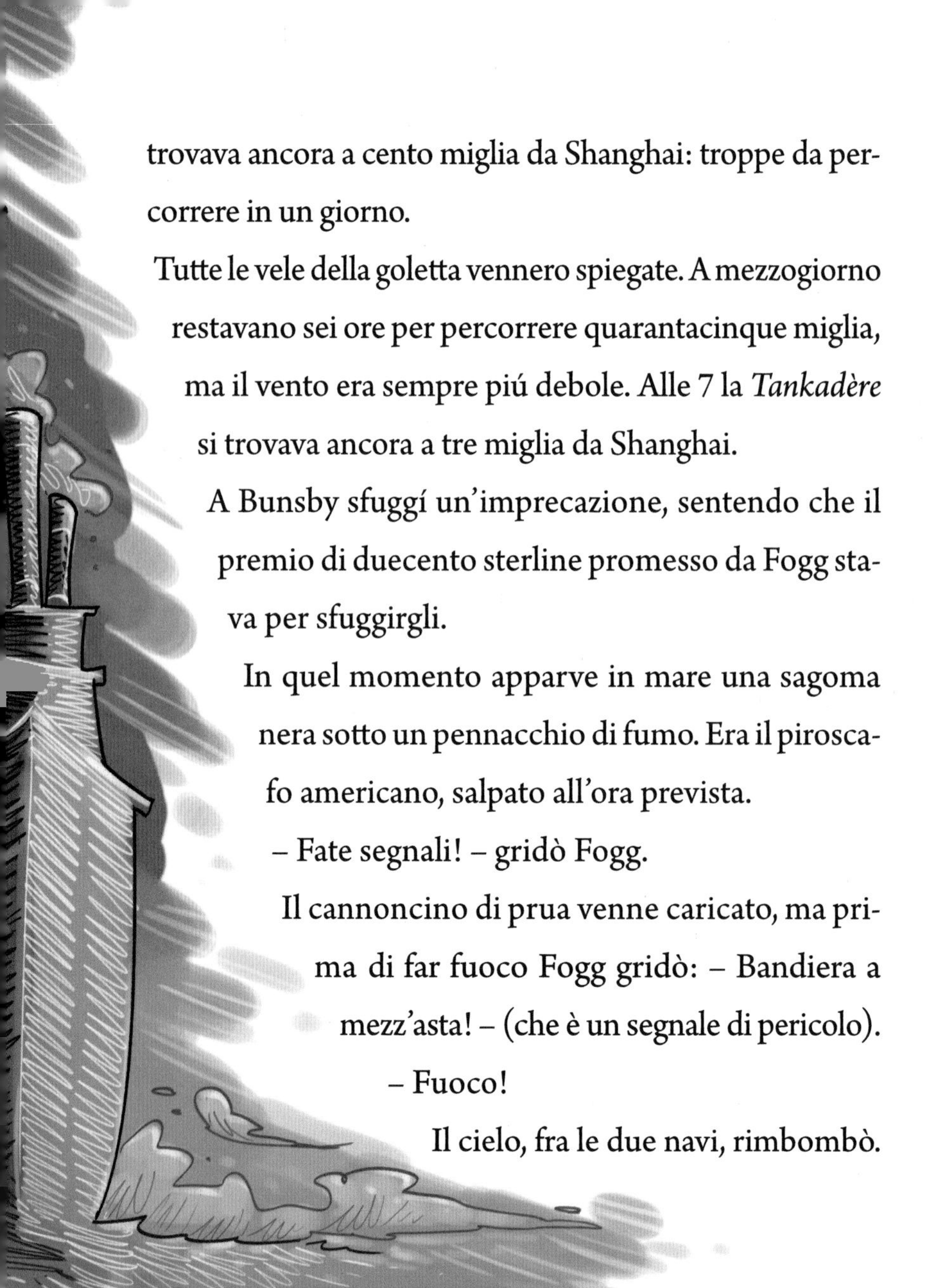

trovava ancora a cento miglia da Shanghai: troppe da percorrere in un giorno.

Tutte le vele della goletta vennero spiegate. A mezzogiorno restavano sei ore per percorrere quarantacinque miglia, ma il vento era sempre piú debole. Alle 7 la *Tankadère* si trovava ancora a tre miglia da Shanghai.

A Bunsby sfuggí un'imprecazione, sentendo che il premio di duecento sterline promesso da Fogg stava per sfuggirgli.

In quel momento apparve in mare una sagoma nera sotto un pennacchio di fumo. Era il piroscafo americano, salpato all'ora prevista.

– Fate segnali! – gridò Fogg.

Il cannoncino di prua venne caricato, ma prima di far fuoco Fogg gridò: – Bandiera a mezz'asta! – (che è un segnale di pericolo).

– Fuoco!

Il cielo, fra le due navi, rimbombò.

CAPITOLO VII

IL GRAPPOLO UMANO

COS'ERA successo a Passepartout?

Alle 6 e 30 di pomeriggio del 7 novembre il *Carnatic*, come si sa, era partito da Hong Kong. Lasciato da Fix ubriaco e stordito nella fumeria d'oppio, Passepartout riuscí, pur barcollando, ad arrivare al piroscafo e imbarcarsi. Solo quando fu a bordo, raggiunta la poppa sulle gambe ancora poco solide, con l'aria fresca del mare in faccia, cominciò a ricordare.

Fu invaso allora dal senso di colpa verso il padrone che non aveva potuto imbarcarsi, e dal timore per la sua sopravvivenza: ma non poteva certo buttarsi a nuoto per tornare a Hong Kong...

La mattina del 13, il *Carnatic* entrò nel porto di Yokohama, città completamente europea seppur brulicante di gente da ogni parte del mondo.
Percorsa una parte della città, Passepartout si trovò in mezzo a viali fiancheggiati da abeti, cedri secolari e conventi di bonzi, sacerdoti seguaci di Confucio.
Uscito verso sera dall'abitato, tra campi e risaie, non trovò nulla da mangiare. Dormí poco e male, all'aperto. Il giorno dopo, stanco e affamato, scambiò presso un rigattiere i suoi abiti francesi con una palandrana e un turbante, ricavando qualche moneta per il pranzo.
Decise che si sarebbe offerto come cuoco o cameriere su un piroscafo in partenza per l'America, in cambio di vitto e viaggio.
A un tratto vide però un clown che portava un cartello con scritto: *COMPAGNIA ACROBATICA GIAPPONESE DELL'ONOREVOLE WILLIAM BATULCAR.*
Passepartout volle cogliere quell'occasione di lavoro:

andò da Batulcar e venne assunto per prestare le robuste spalle come appoggio nell'esercizio del «grappolo umano» eseguito dai Nasi Lunghi: ogni acrobata aveva un naso di bambú della lunghezza di sei piedi su cui i compagni eseguivano gli esercizi, formando con i loro corpi delle strutture altissime, chiamate appunto «grappoli umani».

Ed ecco che, nel bel mezzo dello spettacolo serale, tra applausi e musica, l'equilibrio si ruppe: Passepartout aveva lasciato il suo posto per correre da Fogg, seduto in galleria.

Fu cosí che, in modo rocambolesco, i due si ritrovarono.

CAPITOLO VIII

FIX AL TAPPETO

ALLE 6 E 30 il piroscafo *General Grant* salpava verso l'America, con a bordo, felicemente, Fogg, Auda e Passepartout.

Cos'era accaduto?

Vista la bandiera a mezz'asta, il capitano del piroscafo americano si era diretto verso la *Tankadère* per dare assistenza, secondo l'uso marinaro. Dopo aver pagato Bunsby, Fogg, Auda e l'agente Fix erano cosí passati sulla grande nave.

Il 14 novembre, salendo sul *Carnatic,* appresero che Passepartout era giunto a Yokohama su quella stessa nave il giorno prima.

In attesa di partire per San Francisco, la sera, Fogg e Auda erano entrati nel baraccone dell'onorevole Batulcar, per divertirsi alle rinomate acrobazie.

Il resto si sa.

Il piroscafo che da Yokohama navigava verso San Francisco era il *General Grant*, un bastimento a ruote rinforzato da una gran velatura, che lo faceva filare a una media di dodici miglia l'ora.

Prevedendo di attraversare il Pacifico in non piú di ventun giorni, Fogg era convinto che, giungendo a San Francisco il 4 dicembre, l'11 sarebbe arrivato a New York e il 20 a Londra, addirittura qualche ora in anticipo sulla data del 21 dicembre.

Nove giorni dopo la partenza da Yokohama, aveva percorso metà del globo terrestre.

Il 23 novembre il *General Grant* passò il 180° meridiano.

Degli ottanta giorni di traversata oceanica, erano trascorsi cinquantadue: ne restavano solo ventotto.

Ma non sarebbe stato tutto cosí semplice: anche Fix era

salito a bordo del *General Grant*. A Yokohama aveva finalmente trovato il mandato di cattura, ma con una data ormai passata. Inoltre, lasciati i possedimenti inglesi, per l'arresto di Fogg occorreva un atto di estradizione. All'ostinatissimo agente, non restava che tornare in Inghilterra dove il mandato sarebbe stato di nuovo valido.

Intanto, incontrato Passepartout a prua della nave, Fix si prese dei sonori pugni in faccia, prima di poter spiegare al giovane francese l'interesse che ormai anche lui aveva nel favorire il rientro di Fogg in Inghilterra.

Il 3 dicembre il *General Grant* entrò nella baia di San Francisco. Phileas Fogg non aveva guadagnato né perso un solo giorno.

CAPITOLO IX

DALL'OVEST ALL'EST

IL PRIMO TRENO

per New York sarebbe partito alle 6 di sera: i nostri avevano una giornata intera da trascorrere nella città californiana che, con i suoi duecentomila abitanti, apparve loro proprio come una tipica, grande città americana.

Anche il Grand Buffet dell'International Hotel, aperto gratuitamente a tutti, con i suoi camerieri neri del piú bel nero, parve ai nostri molto americano.

Dopo essersi recati negli uffici del consolato per la solita vidimazione del passaporto e avervi incontrato, per «uno stranissimo caso», l'agente Fix, Fogg, Auda e Passepartout se ne andarono per le salite e discese delle strade di San Francisco.

Finirono a un certo punto nel bel mezzo di un comizio elettorale, il piú aggressivo e litigioso mai visto per l'elezione di un giudice di pace. Fogg e Fix ne uscirono con i vestiti a brandelli.

Alle 5 e 45 i viaggiatori, rimessi a nuovo, giunsero in stazione, dove il treno era pronto a partire.

Ocean to Ocean, cosí gli americani chiamavano il tratto di ferrovia che attraversava gli Stati Uniti nella loro massima larghezza: New York e San Francisco erano collegate da un nastro metallico di 3786 miglia.

Fino alla costruzione della ferrovia occorrevano sei mesi per percorrere con carri e cavalli quella distanza: ora bastavano sette giorni.

Phileas Fogg avrebbe dunque potuto, l'11 dicembre, imbarcarsi da New York su un piroscafo per Liverpool, chiudendo felicemente il suo giro del mondo.

Partiti dalla stazione di Oakland alle 6 di sera i nostri si trovarono immersi in una notte fredda e cupa.

Alle 7 cominciò a nevicare e alle 8 la carrozza venne trasformata in dormitorio. Alle 8 di mattina tornò una carrozza da viaggio.
Le gallerie e i ponti erano pochi: i binari seguivano i fianchi delle montagne senza abbreviare il percorso danneggiando la natura.
Alle 9 entrarono nello Stato del Nevada: praterie, montagne, torrenti spumeggianti.
Verso le 3 del pomeriggio una mandria di dieci o dodicimila bisonti sbarrò la strada. Per tre ore il treno restò fermo, aspettando che la sfilata di pelose gobbe scure finisse di passare.
Alle 9 e 30 di sera entrarono in Utah, la regione del Gran Lago Salato, lo strano paese dei Mormoni.
Passepartout, incuriosito dalle usanze poligame della società mormona, assisté sul treno a una lezione sul mormonismo, tenuta dal decano William Hitch, che cercava di attirare piú persone possibile alla sua religione.

Dopo una visita alla Città dei Santi, presso Ogden, Fogg e compagni risalirono in treno, e alle 10 di sera raggiunsero Fort Bridger. Dopo venti miglia entrarono nello Stato del Wyoming.
La neve mista a pioggia caduta nella notte, sebbene abbondante, non rallentava il viaggio.

CAPITOLO X

IL RISCHIO DI MEDICINE BOW

IL 7 DICEMBRE, durante una sosta a Green River, osservando dal finestrino alcuni viaggiatori scesi a passeggiare sul marciapiede, Passepartout riconobbe il colonnello Stamp W. Proctor.

Chi era costui?

Era un grezzo *yankee* che a San Francisco aveva coperto di pugni e insulti sia l'agente Fix che mister Fogg.

Il gentiluomo, non potendo perdere tempo, si era ripromesso di tornare in America a cercarlo per pareggiare il conto, non ammettendo, in quanto inglese, di essere trattato cosí brutalmente.

Auda, Passepartout e anche Fix, ognuno per un diverso

motivo, erano ben decisi a far sí che i due non s'incontrassero.

– A bordo dei piroscafi, lei non aveva l'abitudine di giocare a whist? – chiese Fix a Fogg.

– Sí, ma qui, senza carte né compagni, è piuttosto difficile.

– Oh, le carte le troveremo! Vendono di tutto sui treni americani. Quanto ai giocatori...

Sia Fix che Auda erano piuttosto esperti, quindi in tre piú un «morto», il gioco poteva cominciare! Il trucco per impedire il pericoloso incontro con lo *yankee* funzionava.

Alle 11 di mattina il treno sbuffava al Bridger Pass, a 7524 piedi sul livello del mare, uno dei punti piú alti della ferrovia nel percorso tra le Montagne Rocciose.

Poi il convoglio scivolò giú, verso le sterminate pianure che continuavano fino all'Atlantico.

Non nevicava piú, il tempo era freddo e secco.

Di colpo, dopo improvvisi e acuti fischi, il treno si fermò.

Un miglio piú avanti, sopra un vorticoso e violento corso d'acqua, c'era il ponte sospeso di Medicine Bow. Danneggiato dal maltempo, appariva cosí pericolante da non poter reggere il peso del treno.

Il colonnello Proctor, avvicinatosi al conduttore, gridò:

– Bene! Resteremo a metter radici nella neve!

Non restava che percorrere dodici miglia a piedi, fino alla stazione di Medicine Bow.

Il macchinista, un vero *yankee* di nome Foster, disse:

– Lanciato alla massima velocità, il treno può passare.

Il capotreno e i viaggiatori, eccitati, attratti o impauriti dall'ipotesi, discutevano e facevano congetture.

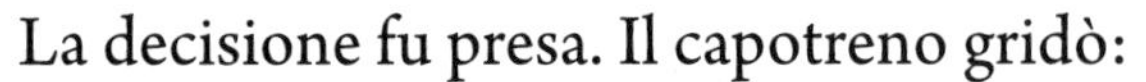
La decisione fu presa. Il capotreno gridò:
– In carrozza! In carrozza!
Si sentí il fischio vigoroso della locomotiva, e il macchinista fece arretrare il treno per quasi un miglio: era la lunga rincorsa per il salto.
Un secondo fischio e il convoglio si mosse in avanti, sempre piú accelerando fino a raggiungere una velocità spaventosa.
A cento miglia all'ora sembrò sollevarsi dai binari: la velocità divorava il peso.

Imboccò coraggiosamente il ponte, e lo attraversò come un lampo, mettendosi in salvo.
Percorse in tre giorni e tre notti 1382 miglia, dalla partenza da San Francisco, in altre quattro notti e quattro giorni si poteva ora raggiungere New York restando nei tempi stabiliti.

CAPITOLO XI

ATTACCO AL TRENO

ALLE 9 DI MATTINA il treno arrivò nella città di North Platte: il 101° meridiano era superato.

Fogg e i compagni giocavano a whist. Fogg, quella mattina molto fortunato, stava per calare una carta di picche.

– Io giocherei quadri, – disse una voce insolente.

Era il colonnello Proctor.

Malgrado il contegno indifferente di Fogg, il rozzo americano lo sfidò a duello alla stazione successiva. Ma il treno viaggiava con un ritardo di venti minuti e la fermata non si effettuò.

I due avversari raggiunsero allora l'ultima vettura, svuotata per effettuare il duello. Erano armati di rivoltelle a sei colpi.

Si aspettava il segnale convenuto, quando risuonarono grida selvagge e spari per tutto il treno.

Il convoglio era assalito da una banda di sioux armati di fucili. Nella locomotiva, con un colpo d'ascia, erano stati colpiti macchinista e fuochista e, nel maldestro tentativo di fermare il treno, un capo sioux aveva aperto completamente la valvola del vapore. Il treno correva sulla pianura a velocità sfrenata, come dovesse attraversare un altro ponte, che non c'era.

Molti viaggiatori giacevano

sui sedili, feriti da asce e proiettili. Al fianco di Fogg, abbattuto da un proiettile, il capotreno gridò:

– Se il treno non si ferma entro cinque minuti, saremo perduti!

Ritrovata la sua agilità d'acrobata, Passepartout s'infilò sotto i vagoni, e passando dall'uno all'altro raggiunse la testa del treno dove, con una mano, riuscí a staccare la locomotiva impazzita dai vagoni.

Un miglio dopo il treno si fermò a poca distanza dalla stazione di Fort Kearney. Mancavano tre viaggiatori, tra cui il valoroso Passepartout.

Proctor, che aveva combattuto con coraggio, era ferito all'inguine.

– Vivo o morto, ritroverò Passepartout! – dichiarò Fogg, preferendo perdere la scommessa che l'onore.

Il capitano di Fort Kearney, con trenta uomini, lo accompagnò alla ricerca del francese e degli altri due dispersi. Ad Auda venne consegnata la sacca con mille sterline (altre mille Fogg le promise ai soldati) e a Fix, sbalordito e imbarazzato, venne affidata la ragazza.

La locomotiva staccata da Passepartout tornò a Kearney, grazie al macchinista colpito dai sioux e poi rinvenuto. Da lí il treno ripartí verso Omaha, ma senza Auda né Fix, che aspettavano il ritorno di Fogg e dei soldati.

Passò la sera, e venne notte: oscura immensità e assoluto silenzio.

CAPITOLO XII

LA SLITTA A VENTO

ALLE 7 DEL MATTINO una piccola schiera apparve all'orizzonte della prateria: in testa a tutti Fogg, e accanto a lui Passepartout con i due viaggiatori rapiti dai pellerossa.

Quando lo informarono che il treno successivo sarebbe passato solo la sera, l'impassibile gentleman esclamò soltanto:

– Ah!

Erano in ritardo di ben venti ore. Un certo Mudge invitò Fogg nella sua capanna, dentro cui stava un singolare veicolo, una specie di slitta attrezzata con vele, come una corvetta terrestre.

– Col vento alle spalle fila piú veloce di un treno espresso! – si vantava Mudge.

Fogg gliela comprò, e alle 8 la slitta partí, spinta da un provvidenziale vento che soffiava da ovest e le fece raggiungere la velocità di quaranta miglia l'ora.
Senza guasti né cadute di vento i nostri arrivarono a Omaha, dove un treno diretto era pronto a partire per l'Est. Dopo

aver attraversato Iowa e Illinois, alle 4 del pomeriggio del 10 dicembre arrivarono a Chicago. Cambiato rapidamente treno, attraversarono Indiana, Ohio, Pennsylvania e New Jersey. Ed ecco, finalmente, il nastro d'argento del fiume Hudson. Era l'11 dicembre, ma il piroscafo *China*, diretto a Liverpool, era partito quarantacinque minuti prima.

– Ci penseremo domani, signori, – fu il commento di Fogg.

Il 12 dicembre, alle 7 di mattina, mancavano nove giorni, tredici ore e quarantacinque minuti alle 8 e 45 di sera del 21 dicembre.

Dopo una lunga e difficile contrattazione e il pagamento di ottomila dollari, Fogg convinse Speedy, capitano dell'*Henrietta*, piccolo piroscafo mercantile a elica, a portare lui e gli altri fino a Bordeaux, dove la nave era diretta.

Partenza alle 9 in punto.

Il 13 dicembre, a mezzogiorno, un uomo sul ponte di comando faceva il punto sulla posizione della nave.

Era Speedy? No, era Fogg.
Speedy era diretto a Bordeaux. Fogg, invece, a Liverpool.
Manovrando nave ed equipaggio a suon di banconote, e rinchiuso Speedy nella sua cabina, l'*Henrietta* puntava ora verso Liverpool.
Giunti all'estremità del banco di Terranova, il vento si fece piú intenso e girò da nordest a sudest per diventare un uragano. Si dovettero abbassare le vele, e procedere a forza di motore.
Il 16 dicembre, a settantacinque giorni dalla partenza di Fogg da Londra, l'*Henrietta* non aveva ritardi preoccupanti, quando il macchinista si avvicinò al nuovo capitano, e disse:
– Il carbone sta per finire.
– Ci penserò, – rispose l'inglese.
La sera ordinò al macchinista di forzare le caldaie fino all'esaurimento del combustibile. Il 18 dicembre, a mezzogiorno, Fogg chiese a Passepartout di scendere a prelevare

Speedy. Tra le grida e le imprecazioni del capitano, Fogg gli propose di comprare la nave per poterla bruciare.

– Bruciare una nave che vale cinquantamila dollari? – gridò Speedy.

– Eccone sessantamila, signore – rispose Fogg.

Non si è veri americani se la vista di sessantamila dollari non fa cambiare opinione.

Svanita la collera di Speedy, dalla chiglia alla cima degli alberi, tutto quel che era di legno nell'*Henrietta* apparteneva a Fogg, e poteva bruciare.

Il 20 dicembre, le coste dell'Irlanda e il faro di Fastenet erano vicini. All'una di notte arrivarono al porto di Queenstown, da lí in treno a Dublino, e da Dublino, con uno *steamer* velocissimo, a Liverpool, guadagnando dodici ore sull'arrivo a Londra.

Era il 21 dicembre, e mancavano venti minuti a mezzogiorno, quando Fogg sbarcò sulla banchina di Liverpool, a sei sole ore da Londra.

– Phileas Fogg, – gli disse Fix avvicinandosi, – in nome della regina, la dichiaro in arresto.

CAPITOLO XIII

UN GENTILUOMO IN GALERA

NELLA PRIGIONE di Custom House, alla dogana di Liverpool, Fogg sedeva su una panca, immobile, imperturbabile, senza collera. Aveva ancora qualche speranza? Credeva ancora al proprio successo?

Sul suo itinerario, alla riga: *21 dicembre, sabato, Liverpool,* aggiunse: *80° giorno, 11 e 40 del mattino,* poi si fermò, in attesa.

Ore 2 e 33 minuti, si aprí la porta ed entrarono Auda, Passepartout e Fix, che balbettò:

– Signore, mi perdoni! Il ladro è stato arrestato tre giorni fa, lei è libero!

Fogg gli si avvicinò, e con due pugni stese l'ispettore.

L'espresso per Londra era partito da trentacinque minuti. Fogg ordinò un treno speciale. Promesso il solito ricco premio al macchinista, alle 3 filavano verso Londra.
Ma la ferrovia aveva le sue regole, e qualsiasi treno le sue soste obbligate: giunsero alla stazione di Londra alle 9 meno 10 minuti.
Per cinque minuti di ritardo la gran scommessa era perduta.

CAPITOLO XIV

L'ORA DELLE NOZZE

CHIUSO NELLA CASA di Savile Row, l'impassibile Fogg accusava il colpo. Passepartout si agitava per la preoccupazione che quell'inglese, uomo di grande onore ma pur sempre maniaco, ossessionato da un'idea fissa, meditasse qualche tragica soluzione.

Anche Auda era disperata.

Alle 7 e 30 circa di sera Fogg le sedette di fronte, con la stessa faccia senza emozioni della partenza.

Dopo un silenzio, disse:

– Mi perdona, signora?

– E lei, mi perdonerà? Salvandomi, ha dovuto perdere tempo.

Commosso, Fogg socchiuse gli occhi e disse:

– Io l'amo!

Alle 8 e 5 di sera, un raggiante Passepartout corse ad avvertire il reverendo Wilson che il giorno seguente, lunedí, si preparasse a celebrare il piú bello dei matrimoni.

CAPITOLO XV

UN LIETO FINE

DOPO L'ARRESTO di James Strand, il vero ladro, tutti nel Regno Unito avevano ricominciato a scommettere su Fogg.

Sabato 21 dicembre, nelle strade intorno al Reform Club, si gridavano le quotazioni «Phileas Fogg» come quelle dei fondi di Stato inglesi.

Da nove ore i cinque colleghi del gentiluomo erano riuniti nel salone del club, discutendo e facendo ipotesi, dubitando e sperando.

Alle 8 e 25 fu annunciato:

– Tra venti minuti il termine scadrà.

– Potremmo già considerare vinta la scommessa... – propose un altro.
– Non mi meraviglierei se quell'eccentrico arrivasse all'ultimo minuto! – disse un terzo.
– Ancora cinque minuti, – annunciò una voce alle 8 e 40.
– Le 8 e 44! – balbettò qualcuno quattro minuti dopo, con voce vibrante d'emozione.
Al cinquantasettesimo secondo del quarantaquattresimo minuto, si sentí:
– Eccomi, signori!
E nel salone del Reform Club entrò Phileas Fogg.
Cos'era successo?
Come sappiamo, venticinque ore dopo l'arrivo a Londra Passepartout era andato dal reverendo Wilson. Ne era uscito alle 8 e 35 correndo come un folle e tre minuti dopo, irrompendo affannato nella casa di Savile Row, aveva detto:

– Impossibile fare il matrimonio domani! Domani è domenica!

– Oggi è domenica, – aveva replicato Fogg.

– No, è sabato, signore! Siamo arrivati con ventiquattro ore di anticipo! Ma... le restano solo dieci minuti!

La ragione dell'anticipo era semplice: Fogg aveva compiuto il giro del mondo andando verso est, direzione contraria a quella del sole. Le giornate cosí diminuivano di quattro minuti per ogni grado dei trecentosessanta che compongono la circonferenza terrestre. Moltiplicando trecentosessanta per quattro si ottengono millequattrocentoquaranta minuti, cioè esattamente ventiquattro ore, un giorno tondo tondo.

Phileas Fogg aveva vinto dunque la scommessa, affrontando di tutto e dimostrando straordinarie doti di calma e precisione. Nel viaggio aveva speso diciannovemila delle ventimila sterline vinte. Ne erano rimaste mille che divise tra l'onesto Passepartout e lo sfortunato Fix.

Cosa gli aveva dunque reso, quell'avventura?

Niente, se è niente una moglie affascinante che fece di lui il piú felice tra gli uomini.

Indice

Finito di stampare
nel mese di giugno 2018
presso G. Canale & C. S.p.A., Borgaro Torinese (To)